Cet ouvrage est rédigé avec l'orthographe
recommandée par le ministère
de l'Éducation nationale.

Conception graphique
et réalisation : Cédric Ramadier

© Hatier, Paris, 2014

ISBN : 978-2-218-97317-8

Loi 49.956 du 16 juillet 1949
sur les publications destinées à la jeunesse.

Enzo et le MONSTRE du plafond

Une histoire de Franck Prévot
illustrée par Clotilde Perrin

Ribambelle

Hatier

À la nuit tombée, Enzo a peur :
– Il y a un monstre énorme au plafond,
Maman ! Je vois son ombre, papa !
– Mais tu es encore debout, toi ?
– J'ai déjà compté les moutons jusqu'à…
des nombres longs, vraiment très longs,
mais…

Enzo dit que le monstre fait des ronds autour de son lit... il ne peut pas dormir avant onze heures.
Minuit parfois !
Papa l'aide à compter les moutons.
Maman lui promet des bonbons.
Ça ne marche pas !
La peur, c'est terrible !
Ça ne peut plus durer !

Les parents d'Enzo l'écoutent attentivement et,
sans attendre, ils en parlent à son maitre.
– Enzo est toujours un peu endormi en classe,
dit le maitre. C'est surement dans sa tête...

Souvent, la rentrée, les nouveaux amis, apprendre à lire...
ça fait beaucoup de nouveautés pour les enfants.
Mais ce n'est pas méchant. Il faut du temps.
Ne vous faites pas de mauvais sang, ça passera rapidement.

– Oui…! Mais non ! dit Enzo.
Il y a vraiment un monstre dans notre
appartement. Il est collé au plafond
de ma chambre. Il est très méchant
et il mange les enfants.
C'est é-pou-van-ta-ble !
– C'est dans sa tête, dit encore le maitre.

11

Les parents demandent l'aide de mamie :
– Enzo a les traits tirés, dit mamie.
C'est surement dans son cœur.
– Oui… ! Mais non ! dit Enzo.
Je ne fais pas semblant. Il a de grandes dents
blanches. Il est très laid.
– C'est dans son cœur, dit encore mamie.

Puis c'est le médecin :
– Il faut penser aux aliments, surtout
cuisiner des plats légers, dit le médecin.
C'est surement dans son ventre.
– Oui... ! Mais non ! dit Enzo.
Je ne fais pas semblant. Il attaque les enfants
qui grandissent. Et moi je grandis,
alors j'ai vraiment trop peur !
– C'est dans son ventre, dit encore
le médecin.

œil   tête   joue
cou   nez
épaule   ventre
nombril   coude
main   poignet
                         cuisse
jambe   genou
                         mollet
talon   pied

15

– C'est pas ma faute, dit Enzo. Il est autant dans
ma tête que dans mon cœur, que dans mon ventre !
– Par ma pipe, dit papa, ça suffit !
Il sort son marteau, son niveau, sa scie à métaux…
tous ses outils, et bricole une machine antimonstre.

– Ça va chauffer ! Je vais le mettre en petits morceaux, lui faire des trous partout, le faire réfléchir une bonne fois pour toutes ! DEHORS le monstre !

MACHINE
ANTI-
MONSTRE

18

– NON ! crie Enzo. Si le monstre se retrouve
en petits morceaux, qui viendra m'aider pour
les moutons ou me donner des bonbons ?
– Mais, le rassure maman, s'il ne tourne plus
autour de toi, tu seras sauvé mon tout beau !
Plus besoin de bonbons ni de moutons,
mon moineau !

– Oui ! Mais non !
Parce qu'ils sont drôlement beaux
les moutons et c'est pas mauvais
les bonbons…

21

Du même auteur

- *Tout allait bien*, Éditions Le buveur d'encre, 2003
- *Édith en effets*, illustration Stéphane Girel, Éditions l'Édune, 2010
- *Ibou Min' et les tortues de Bolilanga*, illustration Delphine Jacquot, Éditions Thierry Magnier, 2009
- *Un amour de verre*, illustration *Stéphane Girel*, Éditions du Rouergue, 2003
- *Voleuse !*, «Petite Poche», Éditions Thierry Magnier, 2010

Du même illustrateur

- *Le colis rouge*, «Pas comme les autres», Éditions Rue du monde, 2007
- *Au même instant sur la terre*, Éditions Rue du monde, 2011
- *Le grand bazar du Weepers Circus*, Éditions Gallimard Jeunesse Musique, 2013
- *Aglaé et Désiré*, Yael Hassan, Éditions Casterman, 2012
- *J'ai mis du sable dans mon cartable*, Christine Beigel, Éditions Sarbacane, 2010

IMPRIM'VERT®

Achevé d'imprimer en France par Pollina - 84482
Dépôt légal 97317-8/07 - Avril 2018